vive le français!
promenades 1

General Editor:
G. Robert McConnell
Coordinator of Modern Languages
Scarborough Board of Education
Scarborough, Ontario

Authors:
Wendy Campbell
formerly French Coordinator
School District No. 34
Abbotsford, B.C.

Ann Yarbrough Golinsky
formerly French Consultant
School District No. 36
Surrey, B.C.

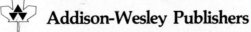
Addison-Wesley Publishers
Don Mills, Ontario • Menlo Park, California • Reading, Massachusetts
Amsterdam • London • Manila • Paris • Sydney • Singapore • Tokyo

Design and Illustration
Hayes Graphics

Art Director
Gord Pronk

Illustrators
Paul McCusker
Ian Carr
Steve Pilcher
Mark Summers
Helen Newell
Rick Geroux
Brian McGroarty
Tim O'Halloran

Cover Illustration
Paul McCusker

Songs
Andrew Donaldson

Printed in Canada

ISBN 0-201-18671-3

F G H I -BP- 91 90 89 88

Table des matières

A c'est pour Amis!

ABCDEFGHIJKLM

NOPQRSTUVWXYZ

A. J'ai soif!

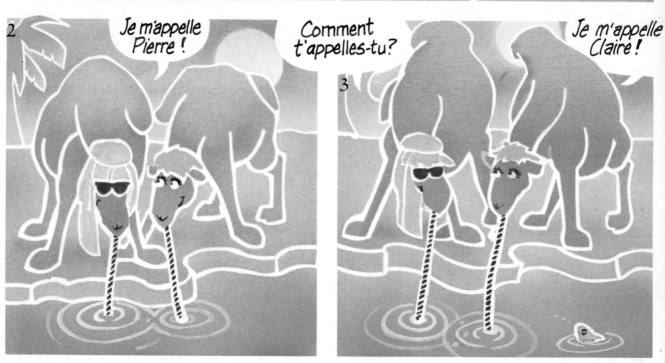

B. Quelle surprise!

1

2

3

4

Une visite extraordinaire!

D. Bon appétit!

1. Bonjour! / _____ !

2. Comment _____ - __ ? / Je _____ Pierre !

3. Il _____ Brute !

4. Au revoir! / _____ !

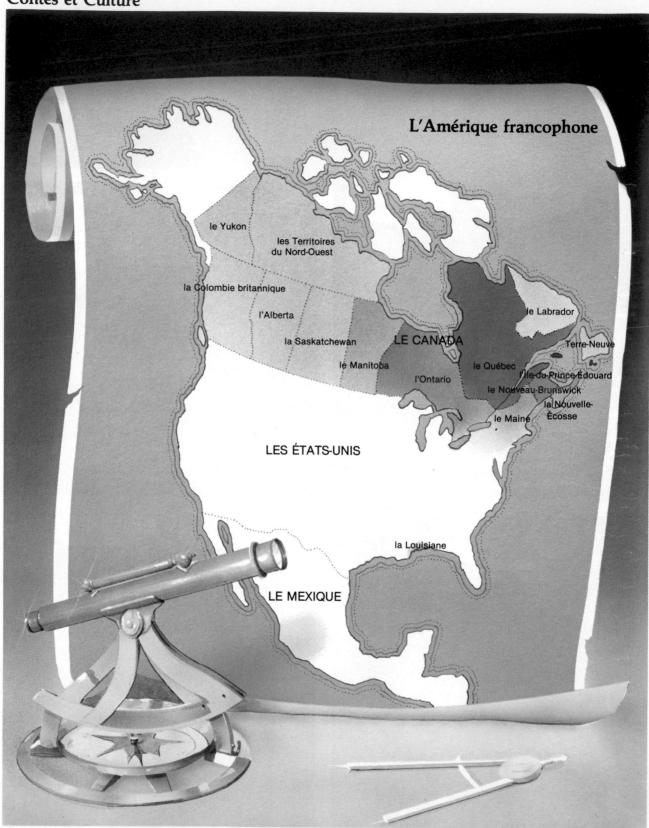

L'Amérique francophone

le Yukon

les Territoires
du Nord-Ouest

la Colombie britannique

l'Alberta

le Labrador

la Saskatchewan   LE CANADA

Terre-Neuve

le Manitoba   le Québec

l'île-du-Prince-Édouard

l'Ontario   le Nouveau-Brunswick

la Nouvelle-
le Maine   Écosse

LES ÉTATS-UNIS

la Louisiane

LE MEXIQUE

Bonjour, les amis!

Refrain — G ... D

1.– 3. Bon - jour! Bonjour!   Comment t'appelles - tu? Bon - jour,
4. Au revoir! Au revoir!   Au revoir, les a - mis! Au revoir,

G ... D

bon - jour! Bon - jour!   Comment t'appelles - tu?
au revoir! Au revoir! *(fin)*

Em

1. Je m'ap - pelle Mi - chel   et   elle s'ap - pelle De - ni - se,
2. Je m'ap - pelle A - lain   et   elle s'ap - pelle Hé - lè - ne,
3. Je m'ap - pelle Gé - rard   et   elle s'ap - pelle Gi - sè - le,

Am ... B7 ... Em

il s'ap - pelle Mar - cel   et   elle s'ap - pelle Lou - ise.
il s'ap - pelle Lé - on   et   elle s'ap - pelle Ger - maine.
il s'ap - pelle Ri - chard   et   elle s'ap - pelle Da - nielle.

Mes nouveaux mots

Bonjour!
Comment t'appelles-tu?
je m'appelle
il s'appelle
elle s'appelle
Au revoir!

B c'est pour Bienvenue!

CDEFGHIJKLM

1. Qu'est-ce que c'est?
   C'est une craie!

2. C'est un crayon!

3. C'est un livre!

4. C'est une gomme!

5. Qu'est-ce que c'est? C'est un pupitre

OPQRSTUVWXYZA

6. Qu'est-ce que c'est? C'est un cahier!

7. C'est un stylo!

8. C'est une règle!

A. La salle de classe!

B. Qu'est-ce que c'est?

15

C. Qu'est-ce qu'il dit?

1

C'est une _____.

2

C'est des _____.

3

C'est des _____.

4

C'est une _____.

5

WOUF!

Sur le pupitre!

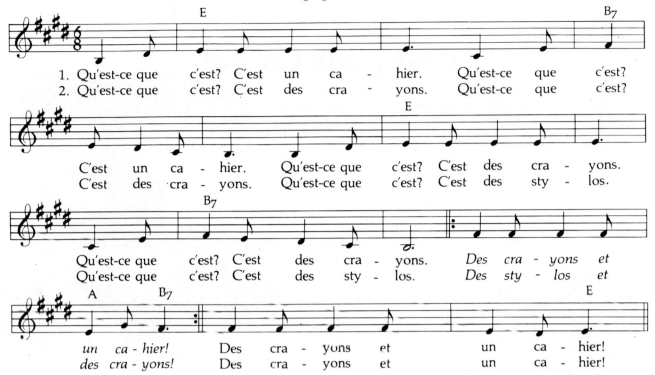

1. Qu'est-ce que c'est? C'est un ca - hier. Qu'est-ce que c'est?
2. Qu'est-ce que c'est? C'est des cra - yons. Qu'est-ce que c'est?

C'est un ca - hier. Qu'est-ce que c'est? C'est des cra - yons.
C'est des cra - yons. Qu'est-ce que c'est? C'est des sty - los.

Qu'est-ce que c'est? C'est des cra - yons. *Des cra - yons et*
Qu'est-ce que c'est? C'est des sty - los. *Des sty - los et*

un ca - hier! Des cra - yons et un ca - hier!
des cra - yons! Des cra - yons et un ca - hier!

3. Qu'est-ce que c'est? C'est des stylos. *(bis)*
   Qu'est-ce que c'est? C'est une craie. *(bis)*
   Une craie et des stylos!
   Des stylos et des crayons!
   Des crayons et un cahier!
   Des crayons et un cahier!

4. Qu'est-ce que c'est? C'est une craie. *(bis)*
   Qu'est-ce que c'est? C'est une gomme. *(bis)*
   Une gomme et une craie! (etc.)

5. Qu'est-ce que c'est? C'est une gomme. *(bis)*
   Qu'est-ce que c'est? C'est une règle. *(bis)*
   Une règle et une gomme! (etc.)

Mes nouveaux mots

Qu'est-ce que c'est?

C'est

une craie	un livre	des pupitres
un cahier	un stylo	des livres
une règle	des cahiers	des stylos
un pupitre	des gommes	des crayons
un crayon	des règles	des craies
une gomme		

17

C c'est pour Ça va!

C. À la télé!

Contes et Culture

Le Canada francophone

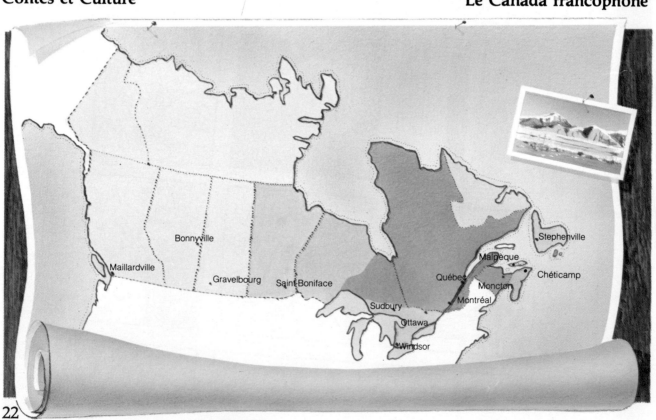

Comme ci, comme ça!

Canon

E   B₇   E

Qui   est-ce?   C'est Co - let - te!   Bon - jour, Co - lette!   Ça   va?

B₇   E

Non!   Ça   va   mal!   Et   toi?   Comme ci,   comme ça!

2. Oui! Ça va bien!
3. Ça va très bien!

Mes nouveaux mots

Ça va?
Ça va bien.
Ça va très bien!
Ça va mal.
Comme ci, comme ça.
Qui est-ce?

QRSTU VWXYZABC

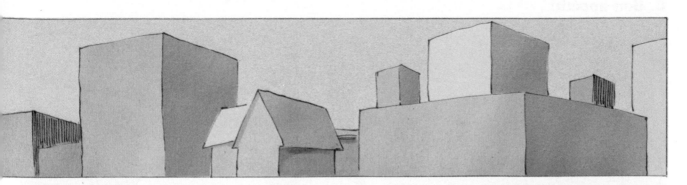

C. Réponds à la négative!

1. C'est des maisons?

2. C'est une banque?

3. C'est des stades?

4. C'est des écoles?

5. C'est une maison?

6. C'est une école?

7. C'est un cinéma?

8. C'est un supermarché?

Contes et Culture   **Le Drapeau du Québec**

Bon Voyage!

Ce n'est pas une ban - que, c'est un ci - né - ma.

Ci - né - ma! Oh là là! Ci - né - ma!

Oh là là! C'est un ci - né - ma!

2. Ce n'est pas une maison, c'est un restaurant. *(bis)*
   Restaurant! Pommes frites! Restaurant!
   Pommes frites! C'est un restaurant!

3. Ce n'est pas un stade, non, c'est une maison. *(bis)*
   Une maison! Bienvenue! Une maison!
   Bienvenue! Non, c'est une maison!

4. Ce n'est pas une banque, non, c'est une école. *(bis)*
   Une école! Bonjour, classe! Une école!
   Bonjour, classe! Non, c'est une école!

Mes nouveaux mots

une banque   une maison
un stade   une école
un cinéma   un restaurant
un supermarché

Ce n'est pas une maison.
Ce n'est pas des restaurants.

E c'est pour En Chiffres!

EFGHIJKLMNOP

1. Combien font
   un et deux?
   Un et deux
   font trois!

2. Combien font cinq
   moins quatre?
   Cinq moins quatre
   font un!

3. Combien font
   six et un?
   Six et un
   font sept!

4. Combien font dix
   moins un?
   Dix moins un
   font neuf!

5. Combien font
   quatre et quatre?
   Quatre et quatre
   font huit!

6. Combien font
   zéro et zéro?
   Zéro et zéro
   font zéro!

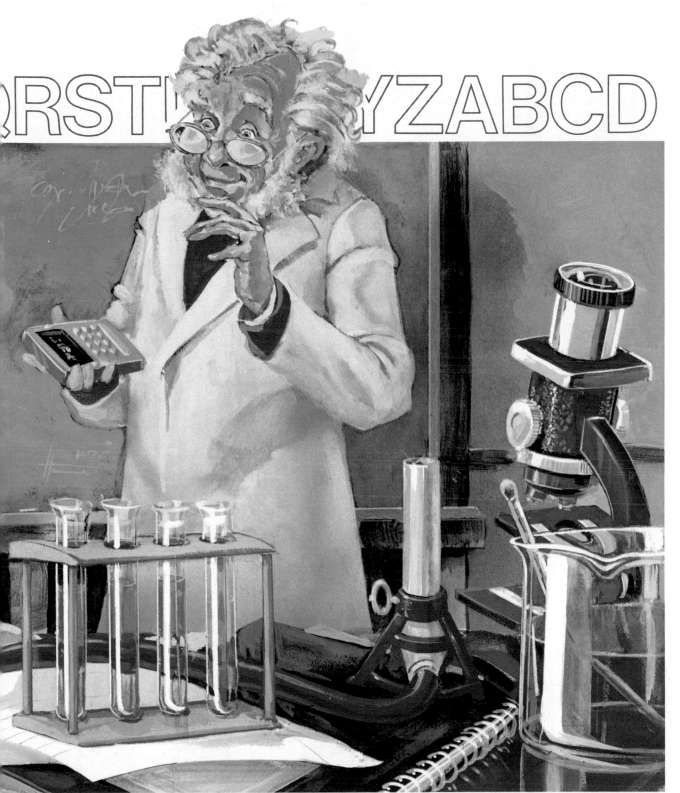

A. Bon appétit!

B. C'est combien de dollars?

1

2

3  +  = ?

4  − 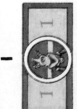 = ?

5  +  = ?

6 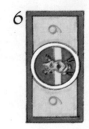 −  = ?

34

C. Quel âge as-tu?

D. Quel âge a-t-il? / Quel âge a-t-elle?

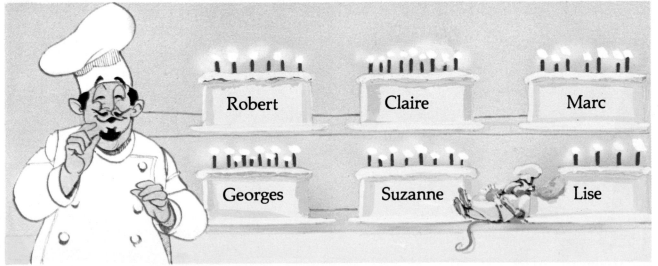

E. Mini-dialogues

1. - Bonjour, **Marc!**
   - Bonjour! Comment t'appelles-tu?
   - Je m'appelle **Suzanne.** Ça va?
   - **Ça va bien.**

   Paul
   Claire
   Ça va mal.

2. - Qui est-ce?
   - C'est **Pierre.**
   - Quel âge **a-t-il?**
   - **Il a** neuf ans.

   Jeanne
   a-t-elle?
   Elle a

Contes et Culture   L'Europe

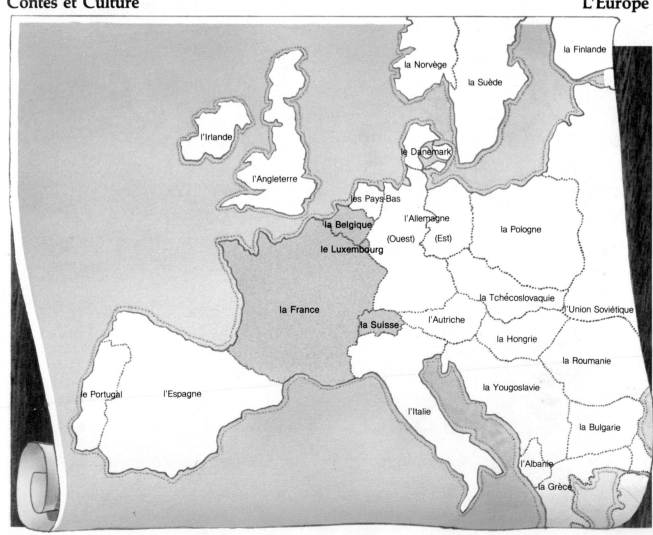

C'est combien?

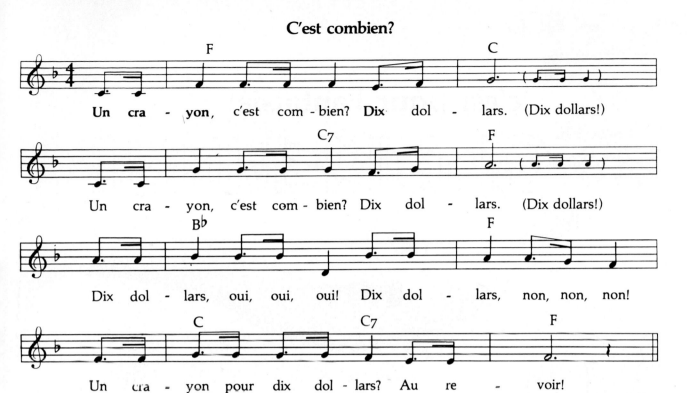

Un cra - yon, c'est com - bien? Dix dol - lars. (Dix dollars!)

Un cra - yon, c'est com - bien? Dix dol - lars. (Dix dollars!)

Dix dol - lars, oui, oui, oui! Dix dol - lars, non, non, non!

Un cra - yon pour dix dol - lars? Au re - voir!

2. une craie...huit
3. une gomme...sept
4. un cahier...six
5. un stylo...cinq
6. une maison...deux
   ...une maison pour deux dollars? Oh là là!

Mes nouveaux mots

zéro un deux trois
quatre cinq six sept
huit neuf dix
Quel âge as-tu? J'ai Il a Elle a
Combien font moins et
Quel âge a-t-il?
Quel âge a-t-elle?

F c'est pour Fantaisie!

GHIJKLMNOP

1. C'est Robert.
   C'est le fils de monsieur et de madame Zano.
   Robert est le frère de Renée.

2. C'est monsieur Zano.
   C'est le père de Robert.

3. C'est madame Zano.
   C'est la mère de Robert.

4. C'est Renée.
   C'est la fille de monsieur et de madame Zano.
   Renée est la soeur de Robert.

5. C'est la maison de Robert.

A. Qui est-ce?

B. Explorons!

1 Qu'est-ce que c'est? — C'est la maison de Robert Zano.

2 Qu'est-ce que c'est? — C'est le livre de Robert Zano.

3 Qu'est-ce que c'est? — C'est l'école de Robert Zano.

ÉCOLE

4 Qui est-ce? — C'est Robert Zano!

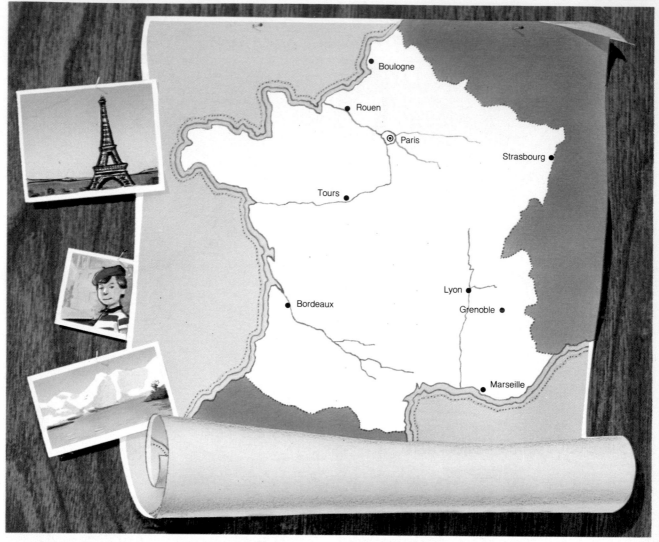

C. Qu'est-ce que c'est? / Qui est-ce?

1. C'est le de .

         4. C'est la de .

2. C'est le  de .

         5. C'est le de .

3. C'est la de .

         6. C'est la  de .

Quelle famille!

C'est la fa - mille de Ro - bert Za - no,
Voi - ci **le père** de Ro - bert Za - no,

C'est la fa - mille de Ro - bert Za - no! bert Za - no!
Voi - ci **le père** de Ro - bert Za - no! bert Za - no!

Le père! La fa - mille! Dans la mai - son de

Ro - bert Za - no, dans la maison de Ro - bert Za - no!

2. . . .la mère. . .
La mère! Le père!
3. . . .la soeur. . .
La soeur! La mère! Le père!

Mes nouveaux mots

le père
la mère   le fils
la fille   le frère
la soeur

Robert est le fils de
monsieur Zano.

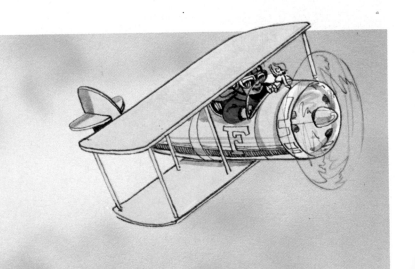

G c'est pour Géant!

HIJKLMNOPQ

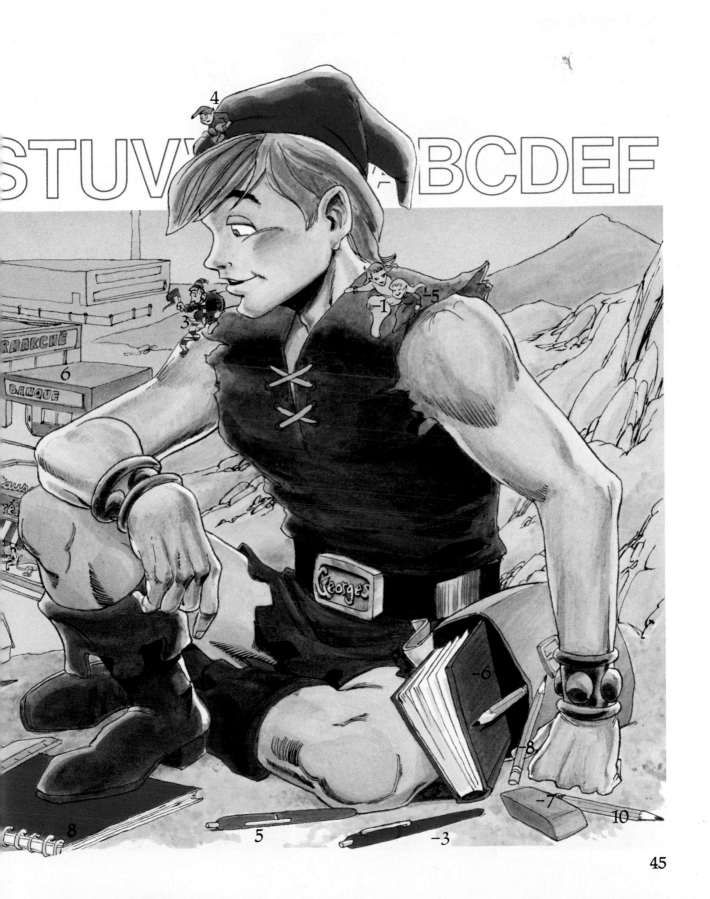

A. Voici Georges!

B. Trouve la bonne réponse!

1. Comment t'appelles-tu?

a. Ça va très bien!
b. Je m'appelle Georges.
c. C'est une école.
d. Deux et six font huit.

2. Qui est-ce?

a. Au revoir.
b. J'ai huit ans.
c. C'est la soeur de Robert.
d. C'est des livres.

3. Quel âge as-tu?

a. Il a neuf ans.
b. C'est la maison de Robert.
c. Huit moins un font sept.
d. J'ai dix ans.

4. Qu'est-ce que c'est?

a. C'est des stylos.
b. C'est un stade.
c. C'est un stylo.
d. C'est des cahiers.

5. Ça va?

a. C'est le frère de Renée.
b. Comme ci, comme ça.
c. C'est Georges.
d. Elle a quatre ans.

C. Trouve l'imposteur!

1. neuf   trois   cinéma   cinq

2. Ça va bien.   Ça va mal.   Comme ci, comme ça.   Au revoir.

3. un stylo   un cahier   une règle   un livre

4. Il s'appelle Georges.   Je m'appelle Marie.   Il a neuf ans.
   Elle s'appelle Michèle.

5. une maison   un pupitre   un stade   une banque

6. Ce n'est pas des maisons.   Ce n'est pas des restaurants.
   C'est des cinémas.

D. Compose des phrases!

E. Questions et réponses!

1. Quel âge as-tu?

2. Ça va?

3. Qu'est-ce que c'est?

4. Comment t'appelles-tu?

5. Qui est-ce?

6. Quel âge a-t-elle?

7. Un livre, c'est combien?

8. Combien font six moins deux?

a. C'est un restaurant.

b. Elle a neuf ans.

c. C'est sept dollars.

d. Ça va très bien!

e. Six moins deux font quatre.

f. C'est le père de Robert.

g. J'ai six ans.

h. Je m'appelle Paul.

H c'est pour Humour!

IJKLMNOPQRS

A. La compétition!

B. Comment est-il?/Comment est-elle?

1. Qui est-ce?
   Il est triste?

2. Qui est-ce?
   Elle est malade?

3. Qui est-ce?
   Il est formidable?

4. Qui est-ce?
   Il est sympa?

5. Qui est-ce?
   Il est malade?

6. Qui est-ce?
   Elle est triste?

C. À la plage!

A. Il est drôle. C. Elle est formidable.
B. Il n'est pas sympa. D. Il est malade.

D. Mini-dialogues

Contes et Culture Le Hockey

1. - Qui est-ce?
   - C'est **Marc.**
   - Il est **sympa?**
   - Oui, il est **sympa.**

Paul	Louise	Claire
drôle	triste	malade

2. - Qui est-ce?
   - C'est **Pierre.**
   - Il est **malade?**
   - Non, il n'est pas **malade.**

Marcel	Anne	Marie
triste	formidable	sympa

Formidable!

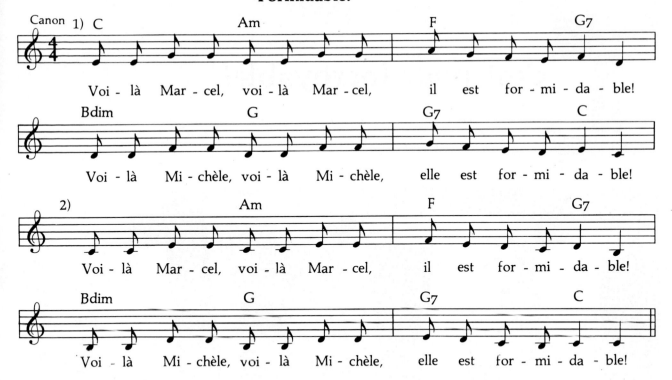

Canon

1) C — Am — F — G7

Voi - là Mar - cel, voi - là Mar - cel, il est for - mi - da - ble!

Bdim — G — G7 — C

Voi - là Mi - chèle, voi - là Mi - chèle, elle est for - mi - da - ble!

2) — Am — F — G7

Voi - là Mar - cel, voi - là Mar - cel, il est for - mi - da - ble!

Bdim — G — G7 — C

Voi - là Mi - chèle, voi - là Mi - chèle, elle est for - mi - da - ble!

2. Voilà Jean-Paul, voilà Jean-Paul, il est très malade! } *(bis)*
   Voilà Carole, voilà Carole, elle est très malade!
3. Voilà Maurice, voilà Maurice, il est triste, triste! } *(bis)*
   Voilà Alice, voilà Alice, elle est triste, triste!
4. Voilà Henri, voilà Henri, il est drôle, drôle! } *(bis)*
   Voilà Sylvie, voilà Sylvie, elle est drôle, drôle!

Mes nouveaux mots

il est
elle est
il n'est pas   elle n'est pas
drôle   sympa   triste
malade   formidable

I c'est pour Incroyable!

JKLMNOPQRST

1. C'est Pierre.

Il n'est pas content.

2. C'est Paul.
Il est fâché.

3. Voilà Zip. Il est fort.

4. C'est Marc. Il est fatigué.

5. Voilà Michel.
Il n'est pas petit.

6. Et voilà Luc.
Il n'est pas gra

ABCDEFGH

7. Voilà Anne.
   Elle est petite.

8. Et voilà Louise.
   Elle est grande.

9. C'est Marie.
   Elle est forte.

10. Voilà Claire.
    Elle est contente.

11. Voilà Chantal.
    Elle est fâchée.

12. C'est Jeanne.
    Elle n'est pas fatiguée.

A. Décris chaque personne!

B. Lisons!

C. Qu'est-ce qu'ils disent?

D. Mini-dialogue

- Bonjour, **Pierre!**
- Bonjour, Monique!
- Tu es **fatigué?**
- Non, je ne suis pas **fatigué!**

Guy	Luc	Chantal	Jeannette
content	fâché	contente	fâchée

Contes et Culture   Un Inventeur

60

Il est content!

Il est con - tent et elle est con - ten - te!

Il est con - tent et elle est con - ten - te!

Elle est con - ten - te, elle n'est pas tris - te!

Il est con - tent, il n'est pas triste!

2. Il est petit et elle est petite! *(bis)*
Il est petit et elle est petite!
Elle est petite, elle n'est pas grande!
Il est petit, il n'est pas grand!

3. Il est fâché et elle est fâchée! *(bis)*
Il est fâché et elle est fâchée!
Elle est fâchée, elle n'est pas contente!
Il est fâché, il n'est pas content!

4. Il est très grand et elle est très grande! *(bis)*
Il est très grand et elle est très grande!
Elle est très grande, elle n'est pas petite!
Il est très grand, il n'est pas petit!

Mes nouveaux mots

Je suis
Tu es
Je ne suis pas
Tu n'es pas

content fâché fort
fatigué fatiguée
petit petite
grand grande
contente fâchée forte

1. Voilà Louise.
   Elle est devant Chantal.

2. Où est Jean?
   Il est devant Michel.

3. Où est Chantal?
   Elle est derrière Louise.

4. Où est Michel?
   Il est derrière Jean.

5. Et où est Robert?
   Il est sur le livre.
   Il n'est pas sous le livre.

6. Où est la chaise?
   La chaise n'est pas sous la table.
   La chaise est sur la table.

7. Où est Jean-Pierre?
   Il est sur la chaise.
   Il est formidable!

A. Le jongleur est formidable!

3

Où est Jean-Pierre?

Il est sous la table. Il est fâché!

4

Voilà Jean-Pierre! Il est sur la table. Tu es formidable, Jean-Pierre!

C. Mini-dialogue

- Où est **la chaise**?
- **La chaise** est **derrière** la table.

le crayon	la gomme	Jean-Pierre
sur	sous	devant

D. Réponds, s'il te plaît!

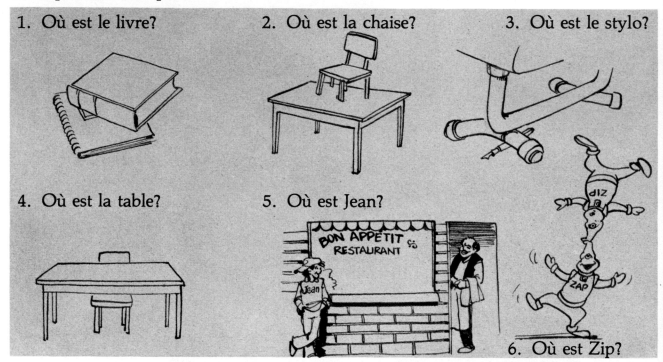

1. Où est le livre?
2. Où est la chaise?
3. Où est le stylo?
4. Où est la table?
5. Où est Jean?
6. Où est Zip?

Contes et Culture

Je me souviens

Où est Minou?

Où est Lu - lu, -lu, -lu?

Elle est sur, sur, sur...

Sur la chaise de Jean, Jean, Jean...

Il n'est pas con - tent, -tent, -tent!

2. Où est Réjean, -jean, -jean?
   Il est devant, -vant, -vant...
   Devant Dorothée, -thée, -thée...
   Elle est très fâchée, -chée, -chée!

3. Où est Jean-Pierre, Pierre, Pierre?
   Il est derrière, -ière, -ière...
   Derrière la table, table, table...
   Il est formidable, -dable, -dable!

4. Où est Minou, -nou, -nou?
   Elle est sous, sous, sous...
   Sous la chaise de Paule, Paule, Paule...
   Minou, tu es drôle, drôle, drôle!

Mes nouveaux mots

Où est...?
la table
la chaise
derrière
sous   sur
devant

K c'est pour Kaléidoscope!

LMNOPQRSTU

1. De quelle couleur est l'auto?
   L'auto est rouge et jaune.
2. Le train est noir et vert.
3. La bicyclette est verte et brune.
4. L'avion est bleu.
5. De quelle couleur sont les bicyclettes?
   Les bicyclettes sont bleues.
6. Les avions sont rouges et bruns.

WXYZABCD GHIJ

A. Dans le parking!

1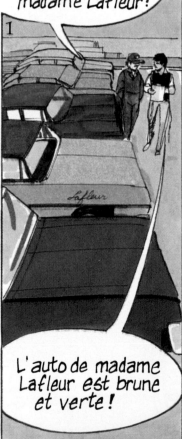

De quelle couleur est l'auto de madame Lafleur?

L'auto de madame Lafleur est brune et verte!

2

De quelle couleur est l'auto de monsieur Legros?

L'auto de monsieur Legros est noire!

3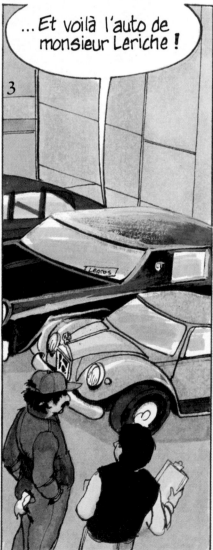

...Et voilà l'auto de monsieur Leriche!

72

B. De quelle couleur est/sont...?

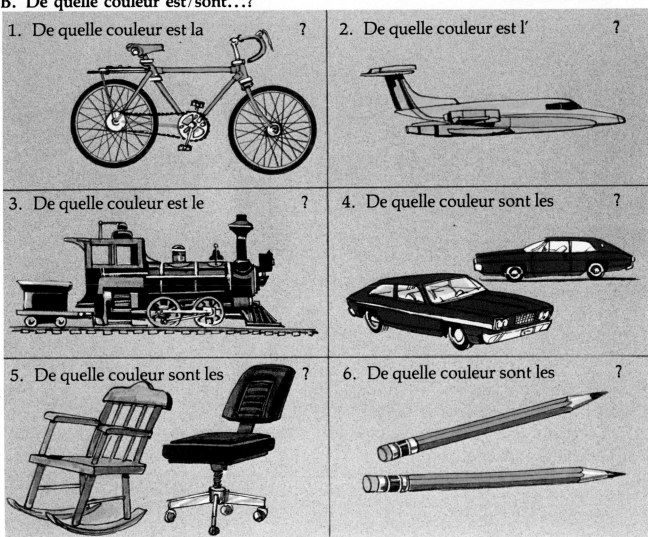

1. De quelle couleur est la   ?

2. De quelle couleur est l'   ?

3. De quelle couleur est le   ?

4. De quelle couleur sont les   ?

5. De quelle couleur sont les   ?

6. De quelle couleur sont les   ?

C. Mini-dialogue

- Où est l'auto de monsieur Leriche?
- Devant **le stade**.
- De quelle couleur est l'auto?
- L'auto est **verte**.

le restaurant	le cinéma	l'école
brune	rouge	jaune

73

D. Quel dialogue?

A. - De quelle couleur sont les bicyclettes?
   - Les bicyclettes sont noires.

B. - De quelle couleur est l'auto?
   - L'auto est jaune.

C. - De quelle couleur est la maison de Pierre?
   - La maison est rouge.

Contes et Culture   **Kilomètres**

Kilomètres	
Montréal - Paris	5520 km
Montréal - Vancouver	4801 km
Montréal - Charlottetown	1199 km

Bleu, bleu, bleu!

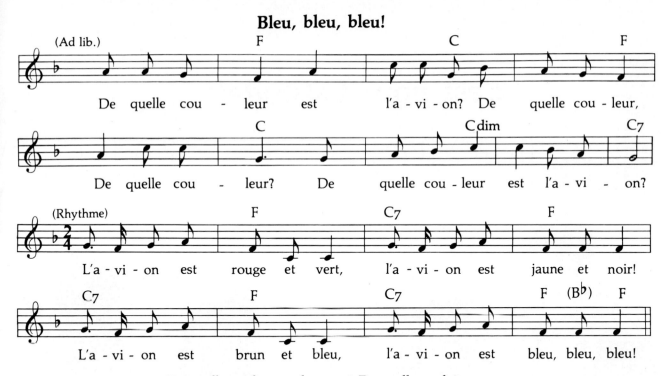

(Ad lib.)   F   C   F

De quelle cou - leur est l'a - vi - on? De quelle cou - leur,

C   Cdim   C7

De quelle cou - leur? De quelle cou - leur est l'a - vi - on?

(Rhythme)   F   C7   F

L'a - vi - on est rouge et vert, l'a - vi - on est jaune et noir!

C7   F   C7   F (B♭) F

L'a - vi - on est brun et bleu, l'a - vi - on est bleu, bleu, bleu!

2. De quelle couleur est la moto? De quelle couleur,
   De quelle couleur? De quelle couleur est la moto?
   La moto est rouge et verte, la moto est jaune et noire!
   La moto est brune et bleue, la moto est bleue, bleue, bleue!

3. De quelle couleur sont les grands trains? De quelle couleur,
   De quelle couleur? De quelle couleur sont les grands trains?
   Les grands trains sont rouges et verts, les grands trains sont jaunes et noirs!
   Les grands trains sont bruns et bleus, les grands trains sont bleus, bleus, bleus!

4. De quelle couleur sont les autos? De quelle couleur,
   De quelle couleur? De quelle couleur sont les autos?
   Les autos sont rouges et vertes, les autos sont jaunes et noires!
   Les autos sont brunes et bleues, les autos sont bleues, bleues, bleues!

Mes nouveaux mots

De quelle couleur est...?
rouge   vert   noir
brun   bleu
jaune   une auto
une bicyclette   un train
un avion
De quelle couleur sont les...?

L c'est pour Latitude!

MNOPQRSTUVV

1. Quel temps fait-il?
   Il fait beau.

2. Il fait froid.

3. Quel temps fait-il?
   Il neige.

4. Il fait du vent.

5. Il fait frais.

6. Il fait chaud.

7. Il pleut.

janvier

février

mars

avril

mai

juin

juillet

août

septembre

octobre

novembre

décembre

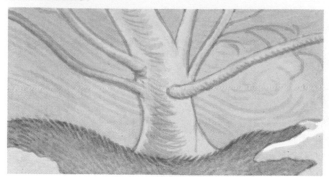

Oui, c'est octobre. En octobre, il fait du vent.

Oh! Il fait frais!

Oui. En janvier, il neige et il fait froid.

Formidable! Il neige!

B. Quel temps fait-il?

1. Il fait du vent.
   Monsieur Lebrun est fort!

2. Il fait chaud.
   Monsieur Lebrun est fatigué.

3. Il pleut.
   Monsieur Lebrun n'est pas content.

4. Il neige.
   Monsieur Lebrun est fâché.

5. Il fait beau.
   Monsieur Lebrun est très content.

6. Il fait froid.
   Monsieur Lebrun est malade.

C. Réponds, s'il te plaît!

1. Quel temps fait-il en  ?

2. Quel temps fait-il en ![pumpkin] ?

3. Quel temps fait-il en ![balloons] ?

4. Quel temps fait-il en ![rabbit] ?

janvier

avril

juillet

octobre

D. Mini-dialogue

- Quel temps fait-il en **janvier?**
- Il fait **froid** en **janvier.**

avril	juin	juillet	septembre
frais	beau	chaud	du vent

E. Regarde monsieur Dubé!

1. Voilà monsieur Dubé.
   Il est content?
   Quel temps fait-il?

2. Monsieur Dubé, il est drôle?
   Quel temps fait-il?

3. Monsieur Dubé, il est triste?
   Quel temps fait-il?

4. Monsieur Dubé, il est fatigué?
   Quel temps fait-il?

Contes et Culture Légende

La Chasse-Galerie

Quel temps fait-il?

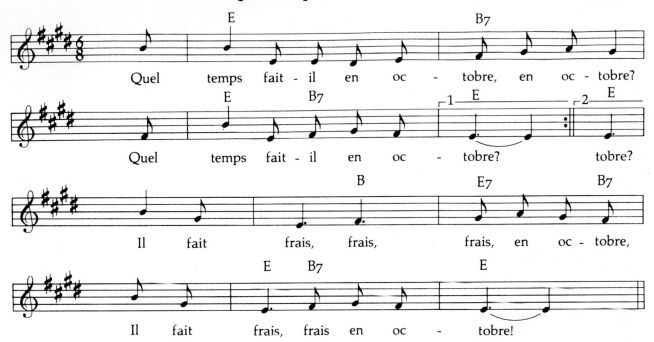

Quel temps fait-il en oc - tobre, en oc - tobre?

Quel temps fait-il en oc - tobre? tobre?

Il fait frais, frais, frais, en oc - tobre,

Il fait frais, frais en oc - tobre!

2. Quel temps fait-il en janvier, en janvier?
   Quel temps fait-il en janvier?
   Il fait froid, froid, froid en janvier,
   Il fait froid, froid en janvier!

3. Quel temps fait-il en avril, en avril?
   Quel temps fait-il en avril?
   Il fait beau, beau, beau en avril,
   Il fait beau, beau en avril!

4. Quel temps fait-il en juillet, en juillet?
   Quel temps fait-il en juillet?
   Il fait chaud, chaud, chaud en juillet,
   Il fait chaud, chaud en juillet!

Mes nouveaux mots

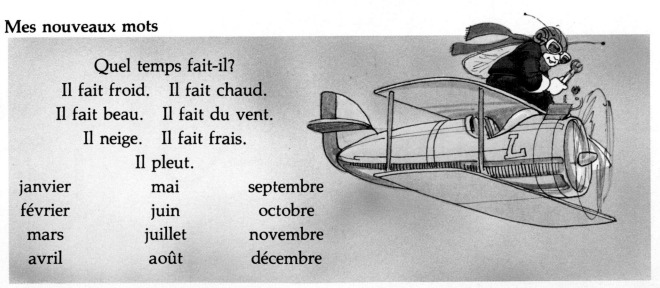

Quel temps fait-il?
Il fait froid.   Il fait chaud.
Il fait beau.   Il fait du vent.
Il neige.   Il fait frais.
Il pleut.

janvier	mai	septembre
février	juin	octobre
mars	juillet	novembre
avril	août	décembre

A. Une interview avec Marcel!

B. Mini-dialogues

1. - Tu es **fort?**
   - Oui, je suis **fort!**

2. - Voilà Paul.
   - Il est **formidable?**
   - Non, il n'est pas **formidable!**

3. - Voilà Anne.
   - Elle est **contente?**
   - Oui, elle est **contente!**

1. fâché
   fatigué
   malade

2. malade
   triste
   sympa

3. forte
   fâchée
   fatiguée

C. Où est Marcel?

D. Les visages!

1. Marie est contente.

2. Et Pierre?

3. Et Claude?

4. Et Chantal?

5. Et Jean?

6. Et Paul?

E. De quelle couleur est...?

F. Quel temps fait-il?

Bonjour! Comment t'appelles-tu?
Ça va?
Quel âge as-tu?
ZIP
ZAP
Merci! Tu es

Mes nouveaux mots

Amis

au revoir   goodbye
bonjour   hello
Comment t'appelles-tu?   What is your name?
Elle s'appelle…   Her name is…
Il s'appelle…   His name is…
Je m'appelle…   My name is…

Bienvenue!

un cahier   a notebook
une craie   a piece of chalk
un crayon   a pencil
une gomme   an eraser
un livre   a book
un pupitre   a (pupil's) desk
une règle   a ruler
un stylo   a pen

Qu'est-ce que c'est?   What is it? What's that?
                                        What are those?

C'est un cahier.   It's a notebook.
C'est des cahiers.   Those are notebooks.

Ça va!

Ça va?   How are you?
Ça va bien.   I'm fine. Things are going well.
Ça va mal.   I'm not well. Things are not going well.
Ça va très bien.   I'm very well.
Comme ci, comme ça.   (I'm) so-so.
Qui est-ce?   Who is it? Who is that?
C'est Paul.   It's Paul.

Direction

une banque   a bank
un cinéma   a movie theatre
une école   a school
une maison   a house
un restaurant   a restaurant
un stade   a stadium
un supermarché   a supermarket

Ce n'est pas un cinéma.   It's not a movie theatre.
Ce n'est pas des maisons.   (That's) Those are not houses.
Voilà un stade.   There's a stadium.

En Chiffres

un   one
deux   two
trois   three
quatre   four
cinq   five
six   six
sept   seven
huit   eight
neuf   nine
dix   ten
un dollar   a dollar
merci   thank you
voici   here is; here are

C'est combien?   How much is it?
C'est cinq dollars.   It's five dollars.
Combien font un et deux? How much are one and two?
Un et deux font trois.   One and two are three.
Combien font deux moins un?   How much is
                                        two minus one?
Deux moins un font un.   Two minus one is one.
Quel âge a-t-elle?   How old is she?
Elle a huit ans.   She is eight years old.
Quel âge a-t-il?   How old is he?
Il a neuf ans.   He is nine years old.
Quel âge as-tu?   How old are you?
J'ai dix ans.   I am ten years old.
Voici dix dollars.   Here's ten dollars.

Fantaisie

la fille   daughter
le fils   son
le frère   brother
la mère   mother
le père   father
la soeur   sister

C'est le crayon de Robert.   It's Robert's pencil.
C'est le père de Robert.   It's Robert's father.
Robert est le fils de monsieur Zano.   Robert is
                                        Mr. Zano's son.

Géant Révision

Humour

good good

drôle   funny
formidable   great, terrific
malade   sick
sympa   likeable
triste   sad

Elle est drôle.   She is funny.
Elle n'est pas drôle.   She is not funny.
Il est drôle.   He is funny.
Il n'est pas drôle.   He is not funny.

Incroyable!

content, contente   happy
fâché, fâchée   angry
fatigué, fatiguée   tired
fort, forte   strong
grand, grande   big, tall
petit, petite   small, little, short

Je suis content(e).   I am happy.
Tu es content(e).   You are happy.
Je ne suis pas content(e).   I am not happy.
Tu n'es pas content(e).   You are not happy.

Jongleur

une chaise   a chair
derrière   behind
devant   in front of
sous   under
sur   on
une table   a table

Où est Zap?   Where is Zap?
Zap est derrière Zip.   Zap is behind Zip.
Où est la chaise?   Where is the chair?
La chaise est devant la table.   The chair is in front of the table.

Kaléidoscope

une auto (l'auto)   a car
un avion (l'avion)   an airplane
une bicyclette   a bicycle
bleu, bleue   blue
brun, brune   brown
jaune   yellow
noir, noire   black
rouge   red
vert, verte   green
un train   a train

De quelle couleur est l'auto?   What colour is the car?
L'auto est verte.   The car is green.
De quelle couleur sont les autos?   What colour are the cars?
Les autos sont vertes.   The cars are green.
L'auto de monsieur Leriche est verte.   Mister Leriche's car is green.

Latitude

janvier   January
février   February
mars   March
avril   April
mai   May
juin   June
juillet   July
août   August
septembre   September
octobre   October
novembre   November
décembre   December

Quel temps fait-il?   What's the weather like?
Il fait beau.   It's nice.
Il fait chaud.   It's hot.
Il fait du vent.   It's windy.
Il fait frais.   It's cool.
Il fait froid.   It's cold.
Il neige.   It's snowing.
Il pleut.   It's raining.
Quel temps fait-il en janvier?   What's the weather like in January?
En janvier, il fait froid.   It's cold in January.

Monstre Révision

Glossaire

A

âge age; **Quel âge as-tu?** How old are you?

un(e) **ami(e)** a friend

an year; **J'ai dix ans.** I'm ten (years old).

août August

au revoir goodbye

une **auto** a car

un **avion** an airplane

avril April

B

une **banque** a bank

beau beautiful, nice; **Il fait beau.** It's beautiful, It's nice, The weather is nice.

une **bicyclette** a bicycle

bien well; **Ça va bien.** I'm fine, Things are going well. **Choisis bien!** Choose well!

Bienvenue! Welcome!

bleu, bleue blue

Bon voyage! Have a nice trip!

bonjour hello

Bonne fête! Happy birthday!

brun, brune brown

C

ça it, that; **Ça va?** How are you? **Ça va bien.** I'm fine, Things are going well. **Ça va très bien.** I'm very well. **Ça va mal.** I'm not well, Things are going badly. **Comme ci, comme ça.** (I'm) so-so.

un **cahier** a notebook

c'est: C'est combien? How much is that? How much is it? **C'est des stylos.** Those are pens. **C'est un crayon.** It's a pencil.

une **chaise** a chair

chaud hot; **Il fait chaud.** It's hot, The weather is hot.

Choisis! Choose!

un **cinéma** a movie theatre

cinq five

combien how much; how many; **C'est combien?** How much is that? **Combien font deux et deux?** How much are two and two? **Combien font deux moins un?** How much is two minus one?

comme ci, comme ça (I'm) so-so

comment how; **Comment t'appelles-tu?** What is your name?

content, contente happy, glad

une **couleur** a colour; **De quelle couleur est...?** What colour is...? **De quelle couleur sont...?** What colour are...?

une **craie** a piece of chalk

un **crayon** a pencil

D

de of; from; **De quelle couleur est...?** What colour is...? **C'est le crayon de Paul.** It's Paul's pencil.

décembre December

derrière behind

des: C'est des cahiers. Those are notebooks.

deux two

devant in front of

le **directeur** principal

la **direction** direction, way

dix ten

un **dollar** a dollar

drôle funny

du: Il fait du vent. It's windy.

E

une **école** a school

Écoute! Listen!

Écris! Write!

elle she; **Elle a six ans.** She is six (years old). **Elle est contente.** She is happy. **Elle est devant la chaise.** She is in front of the chair. **Elle s'appelle Marie.** Her name is Mary.

en in; **...en avril** ...in April; **en chiffres** in figures, in numerals

es: Tu es content(e). You are happy.

est: Il est content. He is happy. **Elle est contente.** She is happy.

et and

F

fâché, fâchée angry

fait: il fait... it's...(weather); **Quel temps fait-il?** What's the weather like? **Il fait beau.** It's beautiful, nice (weather). **Il fait chaud.** It's hot (weather). **Il fait du vent.** It's windy (weather). **Il fait frais.** It's cool (weather). **Il fait froid.** It's cold (weather).

la **famille** family

la **fantaisie** fantasy; imagination

fatigué, fatiguée tired

février February

la **fille** daughter

le **fils** son

font: Combien font deux et deux? How much are two and two? **Deux moins un font un.** Two minus one is one.

formidable great, terrific
fort, forte strong
frais cool; **Il fait frais.** It's cool, The weather is cool.
le **frère** brother
froid cold; **Il fait froid.** It's cold, The weather is cold.

G

un **géant** a giant
une **gomme** an eraser
grand, grande big, tall

H

huit eight
l'**humour** humour

I

il he; it; **Il a dix ans.** He is ten years old. **Il est content.** He is happy. **Il est devant la chaise.** He is in front of the chair. **Il s'appelle Robert.** His name is Robert. **Il fait beau.** It's beautiful (weather).
incroyable incredible

J

janvier January
jaune yellow
je I; **J'ai dix ans.** I am ten years old. **J'ai soif.** I'm thirsty. **Je m'appelle Robert.** My name is Robert. **Je suis content(e).** I am happy. **Je me souviens.** I remember.
un **jongleur** a juggler
juillet July
juin June

K

un **kaléidoscope** a kaleidoscope

L

la (l'), le (l'), les the; **La chaise est devant la table.** The chair is in front of the table. **L'auto est verte.** The car is green. **Le train est noir.** The train is black. **L'avion est vert.** The airplane is green. **Les avions sont rouges.** The airplanes are red.
la **latitude** latitude
une **lettre** a letter
un **livre** a book

M

madame Mrs.
mademoiselle Miss
mai May
mais but
une **maison** a house
mal badly; **Ça va mal.** Things are going badly.
malade sick, ill
mars March
m': Je m'appelle Louise. My name is Louise.
merci thank you
la **mère** mother
moins less, minus; **Combien font trois moins un?** How much is three minus one?
monsieur Mr., sir
un **monstre** a monster
un **mot** a word; **Choisis le bon mot!** Choose the right word!
une **moto** a motorbike

N

ne...pas not; **Ce n'est pas un stylo.** It's not a pen. **Elle n'est pas malade.** She is not sick. **Il n'est pas malade.** He is not sick. **Je ne suis pas malade.** I am not sick. **Tu n'es pas malade.** You are not sick.
neige: Il neige. It's snowing.
neuf nine
noir, noire black
non no
novembre November

O

octobre October
oh là là! wow!
où where; **Où est le livre?** Where is the book?
oui yes; **oui ou non?** yes or no?

P

le **père** father
petit, petite small, little, short
une **phrase** a sentence
pleut: Il pleut. It's raining.
des **pommes frites** french fries
un **pupitre** a (pupil's) desk

Q

quatre four

que: Qu'est-ce que c'est? What is it? What's that? What are those?

quel, quelle which, what; **Quel âge as-tu?** How old are you? **Quel temps fait-il?** What's the weather like? **De quelle couleur est l'auto?** What colour is the car? **Quelle famille!** What a family!

une **question** a question

qui who; **Qui est-ce?** Who is it? Who is that?

R

Regarde! Look!

une **règle** a ruler

une **réponse** an answer

un **restaurant** a restaurant

rouge red

S

s': Elle s'appelle Marie. Her name is Mary. **Il s'appelle Georges.** His name is George.

la **salle de classe** classroom

sept seven

septembre September

six six

la **soeur** sister

sont: De quelle couleur sont les autos? What colour are the cars?

sous under

un **stade** a stadium

un **stylo** a pen

suis: Je suis malade. I am sick.

un **supermarché** a supermarket

sur on

sympa likeable

T

une **table** a table

temps weather; **Quel temps fait-il?** What's the weather like?

toi you; **et toi?** how about you? **toi et moi** you and I

un **train** a train

très very; **Ça va très bien.** I'm very well.

triste sad

trois three

tu you; **Comment t'appelles-tu?** What is your name? **Tu as sept ans.** You are seven years old. **Tu es triste.** You are sad.

U

un, une a, an; one; **C'est un cahier.** It's a notebook. **C'est une bicyclette.** It's a bicycle. **Elle a un an.** She is one year old. **Un et deux font trois.** One and two are three.

V

va: Ça va? How are you? **Ça va bien.** I'm fine. **Ça va très bien!** I'm very well! **Ça va mal.** Things are going badly.

le **vent** wind; **Il fait du vent.** It's windy.

voici here is; here are

voilà there is; there are

vrai ou faux? true or false?

Z

zéro zero